들을수록 똑똑해지는

첫 클래식

삼성출판사
samsungbooks.com

차례

만나서 반가워, 클래식! • 6

1 스위스 군대의 행진 로시니의 〈윌리엄 텔 서곡〉 Track 01 • 8

2 캉캉 오펜바흐의 〈지옥의 오르페우스〉 Track 02 • 10

3 장난감 가게 레오폴드 모차르트 외 Track 03 • 12

4 축배의 노래 베르디의 〈라 트라비아타〉 Track 04 • 14

5 송어 슈베르트 Track 05 • 15

6 결혼 행진곡 멘델스존의 〈한여름 밤의 꿈〉 Track 06 • 16

7 작은 밤의 음악 모차르트 Track 07 • 17

8 산 왕의 궁전에서 그리그의 〈페르 귄트 모음곡 제1번〉 Track 08 • 18

9 하바네라 비제의 〈카르멘〉 Track 09 • 20

10 미뉴에트 바흐 Track 10 • 21

클래식 작곡가를 만나 볼까? • 22

11 봄 비발디의 〈사계〉 Track 11 • 24

12 왕궁의 불꽃놀이 헨델 Track 12 • 26

13 토카타와 푸가 D단조 바흐 Track 13 • 27

14 놀람 교향곡 하이든 Track 14 • 28

15 나는야 새 잡이 모차르트의 〈마술피리〉 Track 15 • 30

16 운명 교향곡 베토벤 Track 16 • 32

17 들장미 슈베르트 Track 17 • 33

18 헝가리 춤곡 제5번 브람스 Track 18 • 34

19 사탕 요정의 춤 차이콥스키의 〈호두까기 인형〉 Track 19 • 36

클래식 악기랑 놀자! • 38

20 작은 별 모차르트 Track 20 • 40

21 셈퍼 피델리스 수자 Track 21 • 42

22 화석 생상스의 〈동물의 사육제〉 Track 22 • 44

23 엘리제를 위하여 베토벤 Track 23 • 45

24 라 캄파넬라 파가니니 Track 24 • 46

25 왕벌의 비행 림스키코르사코프 Track 25 • 48

26 코끼리 생상스의 〈동물의 사육제〉 Track 26 • 49

27 개선 행진곡 베르디의 〈아이다〉 Track 27 • 50

28 피터와 늑대 프로코피예프 Track 28 • 52

29 뻐꾹 왈츠 요나손 Track 29 • 54

30 여자의 마음 베르디의 〈리골레토〉 Track 30 • 55

31 봄의 소리 왈츠 요한 슈트라우스 2세 Track 31 • 56

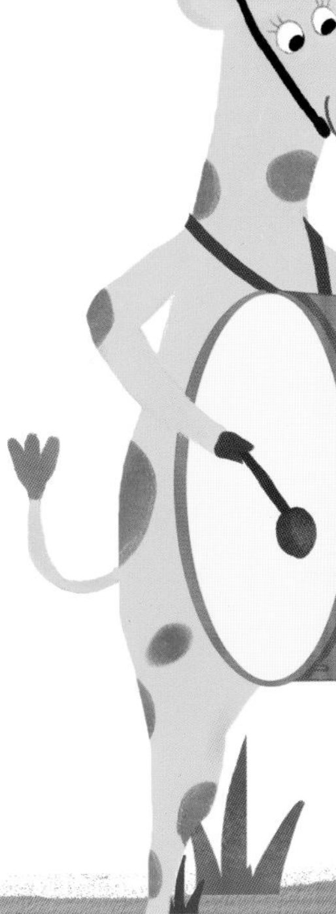

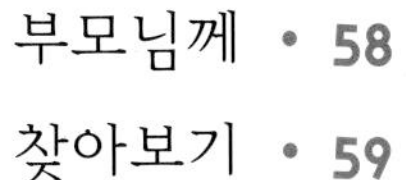

부모님께 • 58

찾아보기 • 59

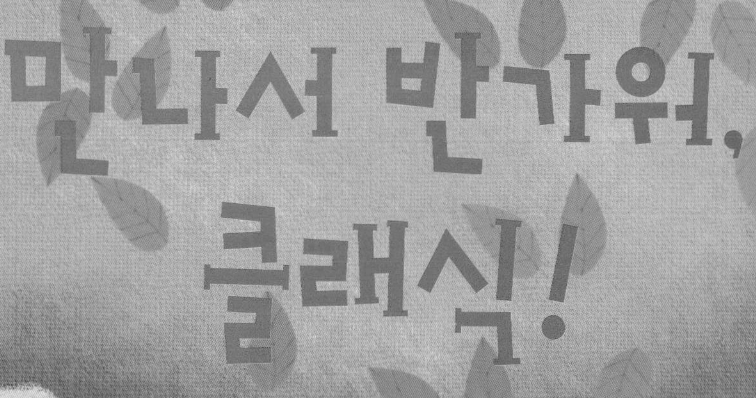

클래식 세상에 온 걸 환영해요!
클래식 음악은 신기한 마법과도 같아요.
신나게 춤추게도 하고, 스르르 잠들게도 하거든요.
지금부터 재미있는 클래식 세상으로 떠나 볼까요?

딩가 딩가.
난 클래식 음악을
연주하면 정말 행복해져.

클래식 음악 중에는
춤출 수 있는 신나는
곡도 많이 있어.
빙그르르.

훌쩍훌쩍. 슬플 때
클래식 음악을 들으면
위로를 받기도 해.
난 잠이 오지 않을 때
클래식 음악을 들어.
그럼 잠이 솔솔 오지.
드르렁.
Z
Z

스위스 군대의 행진

로시니의 〈윌리엄 텔 서곡〉

하나 둘, 하나 둘! 오른발, 왼발!
와! 드디어 동물들의 신나는 행진이 시작됐나 봐요.
우리 모두 클래식 음악에 맞춰 씩씩하게 걸어 봐요.

이 곡은 나쁜 악당을 물리치고 돌아온
용감한 윌리엄 텔을 축하하기 위해 만들었대요.
저 멀리서 윌리엄 텔이 씩씩하게 걸어오는 것 같지 않나요?

'트럼펫' 소리와
함께 군대의
행진이 시작된대.

〈윌리엄 텔 서곡〉은
벽, 폭풍우, 고요함,
스위스 군대의 행진,
부분으로 되어 있어.

캉캉

오펜바흐의 〈지옥의 오르페우스〉

쿵작쿵작 신나는 클래식 음악이 흘러나오고 있어요.
오른발 올리고 빙글, 왼발 올리고 빙글, 음악에 맞춰 춤을 춰 볼까요?
클래식 음악 중에는 이처럼 신나는 춤곡도 있답니다.

〈캉캉〉은 〈지옥의 오르페우스〉라는 오페라에 나오는 춤곡이에요.
프랑스에서 시작된 이 춤은 다리를 쭉쭉 뻗어
차올리는 것이 특징이지요.

'오페라'는 극장에서
공연하는 연극이지만,
말하는 대신 노래로
이야기한단다.
1
오른쪽 무릎을 굽혀
위로 올리세요.
2
오른쪽 발을 위로
차올리세요.
3
왼쪽 무릎을 굽혀
위로 올리세요.
4
왼쪽 발을 위로
차올리세요.

장난감 가게

장난감 가게에서는 밤마다 신기한 일이 벌어진대.
한밤중에 종이 '댕댕댕' 하고 12시를 알리면
낮에는 조용히 있던 장난감들이
하나둘씩 움직이며 파티를 한다지 뭐야.

하나 둘 하나 둘 장난감 병정들이 행진을 하고 있어.
요한 슈트라우스 1세의 〈라데츠키 행진곡〉

빙글빙글 예쁜 인형들이 발레도 하네.
요한 슈트라우스 2세의 〈안넨 폴카〉

드르륵드르륵 태엽 인형들이 춤도 춘다.

레오폴드 모차르트의 〈장난감 교향곡〉

어슬렁어슬렁 사자 인형이 걸어온다.

생상스의 〈동물의 사육제 중 사자 왕의 행진〉

쿵작쿵작 장난감들이 모두 다 같이 춤춘다.

생상스의 〈동물의 사육제 중 피날레〉

해가 밝아오자 장난감들은 하나둘씩
자리로 돌아갔어. 마치 아무 일도 없었던 것처럼.

그리그의 〈아침 정경〉

뻐꾹뻐꾹,
새소리가 들리니?
드르륵, 태엽 감는 소리도
잘 들어 보렴.

축배의 노래

베르디의 〈라 트라비아타〉

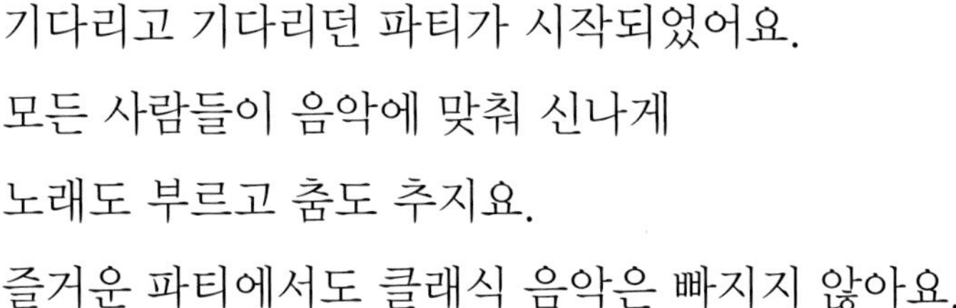

기다리고 기다리던 파티가 시작되었어요.
모든 사람들이 음악에 맞춰 신나게
노래도 부르고 춤도 추지요.
즐거운 파티에서도 클래식 음악은 빠지지 않아요.

듣는 사람의 마음까지도 들썩거리게 하는 이 곡은
실제 축하 파티에서 자주 불려진답니다.

송어

슈베르트

살랑살랑 찰랑찰랑
송어가 춤을 춰요.

참방참방 춤추며
도레미파 퐁.

뱅글뱅글 춤추며
솔라시도 퐁.

살살 바람도 음악에 맞춰
은물결 잔물결 퐁퐁퐁.

결혼 행진곡

멘델스존의 〈한여름 밤의 꿈〉

‘결혼식’ 하면 무엇이 떠오르나요?
신랑, 신부, 케이크, 파티 그리고 음악이 빠질 수 없죠.
신랑 신부가 행진할 때 흘러나오는 음악이 바로 〈결혼 행진곡〉이에요.

딴딴따단, 딴딴따단. 이 곡은 신랑 신부만큼이나 밝고 행복한 느낌이에요.
영국 공주의 결혼식 때 처음 연주된 이후로
전 세계 결혼식장에서 널리 연주되고 있답니다.

Track 07

작은 밤의 음악

모차르트

깊고 깊은 밤
숲 속에 울리는
아름다운 음악.

부엉 부엉 부엉
노래하는 부엉이.

찰찰찰 차르르
춤추는 나뭇잎.

잘랑잘랑 자르르
퍼지는 달빛.

숲 속에 모여서
춤추며 듣는
작은 밤의 음악.

이 곡처럼 저녁에
야외에서 연주되는 곡을
'세레나데'라고 해.

산 왕의 궁전에서

그리그의 〈페르 귄트 모음곡 제1번〉

그리그는 〈페르 귄트〉라는 이야기를 음악으로 만들었대.

옛날 어느 숲 속 마을에 개구쟁이 페르 귄트가 살고 있었어요.
"아, 심심해. 숲 속으로 모험을 떠나야겠어!"

숲으로 간 페르 귄트는 길을 잃고 말았어요.
"안녕하세요? 저는 숲 속의 공주예요. 제가 길을 알려드릴게요."
페르 귄트는 숲에서 만난 아름다운 공주를 사랑하게 되었어요.

그런데 알고 보니 공주는 무시무시한 숲 속 마왕의 딸이었어요!
"네 이놈! 내 딸을 보았으니 당장 결혼하여라!"

페르 귄트는 마왕이 너무 무서워서 도망을 쳤어요.
마왕은 화가 머리끝까지 나서 소리쳤어요.
"당장 저놈을 잡아라!"

숲 속 괴물들이 페르 귄트를 쫓아왔어요.
페르 귄트가 잡히려는 순간, 해가 반짝반짝 떠올랐어요.

"으악! 으아악!"
햇빛을 무서워하는 괴물들은 멀리멀리 도망을 갔어요.
"휴! 살았다, 살았어."

하바네라

비제의 〈카르멘〉

커튼이 활짝 열리고, 조명이 반짝반짝 켜졌어요.
그러자 배우들이 나와 아름다운 노래로 이야기해요.
이런 것을 '오페라' 라고 한답니다. 비제의 〈카르멘〉도 오페라지요.

아름다운 여주인공 카르멘이 사랑하는 남자에게 고백을 하네요.
쉿! 사랑 고백하는 카르멘의 노래를 들어보아요.

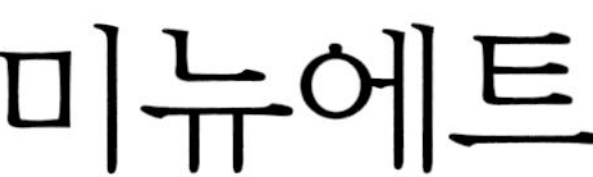

바흐

쫑긋쫑긋 토끼야
폴짝폴짝 춤추자.

훨훨훨훨 나비야
나풀나풀 춤추자.

날짱날짱 고양아
사뿐사뿐 춤추자.

어흥어흥 사자야
성큼성큼 춤추자.

빙글빙글 뱅그르르
모두 함께 춤추자.

〈미뉴에트〉는 프랑스
귀족들이 좋아하던
우아한 춤곡이에요.

클래식 작곡가를 만나 볼까?

'작곡가' 는 콩나물 모양의 음표로
음악을 그리는 사람을 말해요.
재미있는 이야기를 음악으로 들려주지요.
세상에는 수많은 작곡가가 있지만
우리에게 잘 알려진 작곡가는 많지 않답니다.
누가 누가 있는지 함께 만나 볼까요?

비발디
(이탈리아, 1678~1741)

헨델
(영국, 1685~1759)

바흐
(독일, 1685~1750)

하이든
(오스트리아, 1732~1809)

모차르트
(오스트리아, 1756~1791)

베토벤
(독일, 1770~1827)

슈베르트
(오스트리아, 1797~1828)

브람스
(독일, 1833~1897)

차이콥스키
(러시아, 1840~1893)

봄

비발디의 〈사계〉

햇살이 따뜻한 봄날, 생쥐는 다람쥐 집을 찾아 길을 떠났어요.
살랑살랑 봄바람이 생쥐의 코를 간질였어요. "흠, 향긋한 봄 냄새."

새들이 봄이 왔다고 짹짹 짹짹. "새들아, 안녕?"

시냇물도 봄이 왔다고 졸졸 졸졸. "시냇물도 안녕?"

갑자기 봄을 알리는 비가 후드득. 생쥐는 나뭇잎 우산 속으로 조르르.

봄비가 그치고 해님이 다시 반짝반짝 나왔어요.

마침내 생쥐는 다람쥐 집에 도착했어요. "다람쥐야, 반가워." "생쥐야, 어서와."

왕궁의 불꽃놀이

헨델

평펑! 팡팡! 무지개 불꽃이
밤하늘에 꽃을 뿌려요.

슈우웅 펑!
파란 꽃이다.

피우웅 펑!
빨간 꽃이네.

슝슝 팡팡!
와, 노란 꽃이야.

평펑! 팡팡! 무지개 불꽃이
밤하늘에 가득 피었어요.

사람들은 나를
'음악의 어머니'라고 불러.
하지만 여자는 아니야. 하하하
밝고 부드러운 음악을
많이 만들어서
그렇단다.

토카타와 푸가 D단조

바흐

구불구불 가발을 좋아한 바흐는 '음악의 아버지' 라고 불려요. 바흐라는 이름은 '시냇물' 이란 뜻인데 베토벤은 "그는 시냇물이 아니라 넓은 바다다." 라고 했대요.

이 곡은 오르간 음악이에요. 강렬한 소리가 정말 인상적이지요? 꼭 깜깜한 밤이 지나고 밝은 태양이 떠오르는 것 같아요.

놀람 교향곡

하이든

"꼬꼬댁 꼬꼬꼬꼬. 일어나요, 일어나!
꼬꼬댁 꼬꼬꼬꼬."
동물 농장에 아침이 밝았어요.

그런데 마구간의 말도 "드르렁 푸르르르."
외양간의 소도 "드르렁 쿨쿨쿨."
돼지우리의 돼지도 "드르렁 냠냠냠."
모두 늦잠을 자고 있네요.

〈놀람 교향곡〉을 듣다가 깜짝 놀랐니? 나는 장난기 많은 작곡가란다. 이 곡으로 음악회에서 꾸벅꾸벅 조는 귀부인들을 깜짝 놀래켜 주었지.

그때 갑자기 농장 문이 '쾅!' 하고 열렸어요.

"꼬꼬댁 꼬꼬꼬꼬. 일어나요, 일어나!

꼬꼬댁 꼬꼬꼬꼬."

수탉의 큰 소리에 동물들이 깜짝 놀라 일어났어요.

"히힝 히힝."

"음매 음매."

"꿀꿀꿀꿀."

시끌시끌 동물 농장의 하루가 시작되었답니다.

나는야 새 잡이

모차르트의 〈마술피리〉

모차르트는 너무 유명해서, 심지어 초콜릿 포장지에도 나올 정도예요. 아주 똑똑한 천재 작곡가로 5살 때부터 곡을 쓰기 시작했대요.
만약 모차르트가 아이큐 검사를 했다면 230은 훌쩍 넘었을걸요!
비록 35살까지밖에 살지 못했지만 그의 이름은 영원히 빛날 거예요.

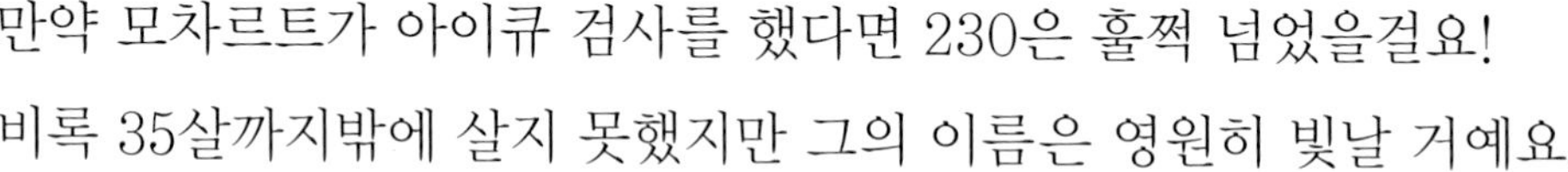

휘리리 휘리리. 숲 속에서 새 노랫소리가 들려요. 하지만 이 소리는 모차르트의 오페라 〈마술피리〉에 나오는 파파게노가 내는 소리예요. 새를 사냥하는 파파게노가 새들을 유혹하려고 내는 소리지요. 무시무시한 마녀에게 새를 바쳐야 빵과 음료수를 얻을 수 있거든요.

운명 교향곡

베토벤

옛날 독일의 한 집에서 아침부터 저녁까지 피아노 소리가 멈추지 않았어요. 누가 치는 걸까요? 바로 훗날 유명한 작곡가가 될 어린 베토벤이랍니다. 어른이 된 베토벤은 귀가 점점 들리지 않게 되었지만, 포기하지 않고 훌륭한 곡들을 더 많이 만들었답니다.

딴딴딴 딴! 강렬한 음으로 시작하는 〈운명 교향곡〉은 쾅쾅쾅 쾅! 문 두드리는 소리를 듣고 만들었대요. 자세히 들어 보세요. 문 두드리는 소리가 들리나요?

Track 17

들장미

슈베르트

"음악과 노래는 나의 전부라네."
'가곡의 왕' 으로 불리는 슈베르트는
600여 곡이 넘는 아름다운 가곡들을
만들었어요. 그의 실력이 얼마나 뛰어난지,
시를 읽고 10분 만에 바로 노래를 만들 정도였대요.

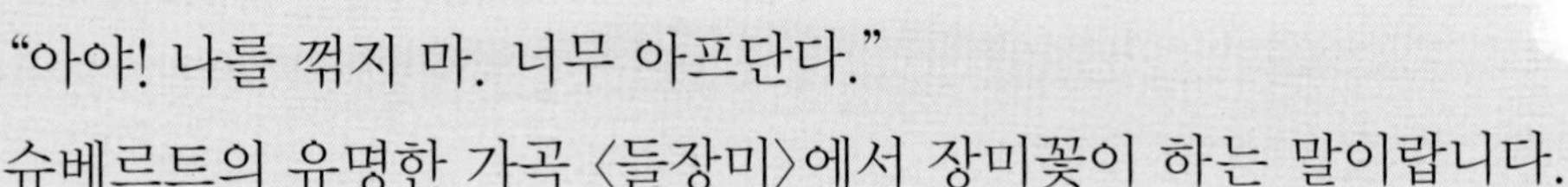

"아야! 나를 꺾지 마. 너무 아프단다."
슈베르트의 유명한 가곡 〈들장미〉에서 장미꽃이 하는 말이랍니다.

아름다운 시에
곡을 붙여 만든 노래를
'가곡'이라고 해.

헝가리 춤곡 제5번

브람스

브람스는 꼭 산타 할아버지처럼 생겼어요.
키가 작고, 뚱뚱하고, 하얀 수염까지 덥수룩했거든요.
마치 "하하하" 하며 웃을 것 같은 모습이었지만
작곡할 때 만큼은 아주 무서웠대요.

오른쪽 귀 옆에서
두 번 박수 치세요.

왼쪽 귀 옆에서
두 번 박수 치세요.

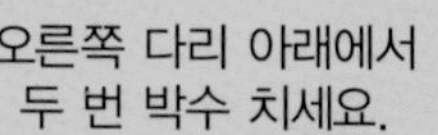

오른쪽 다리 아래에서
두 번 박수 치세요.

왼쪽 다리 아래에서
두 번 박수 치세요.

브람스는 헝가리를 여행하다 경쾌한 헝가리 민속 춤곡에 흠뻑 빠졌어요.
그래서 어깨가 들썩들썩, 엉덩이가 실룩샐룩,
신나는 〈헝가리 춤곡〉을 만들었답니다.
동물 친구들과 함께 리듬에 맞춰 춤을 춰 볼까요?

사탕 요정의 춤

차이콥스키의 〈호두까기 인형〉

호두까기 왕자와 클라라는 과자의 나라로 놀러 갔어요.
그곳에는 세상의 모든 과자들이 모여 있었어요.

클라라는 신이 나서 소리쳤어요.
"우와! 맛있는 과자들이 참 많다!"
그때 과자들의 파티를 알리는 불꽃이
여기저기서 펑펑펑!

나는 〈백조의 호수〉,
〈잠자는 숲 속의 미녀〉,
〈호두까기 인형〉 같은 발레 음악을
많이 만들었어. 특히 〈호두까기 인형〉
크리스마스가 되면 수많은
사람들에게 사랑을 받는단다.

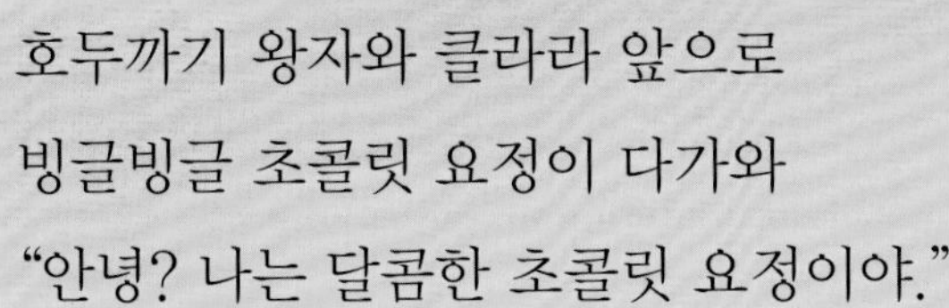

호두까기 왕자와 클라라 앞으로
빙글빙글 초콜릿 요정이 다가와
“안녕? 나는 달콤한 초콜릿 요정이야.”

이번에는 데굴데굴 도넛 요정이 굴러 와
“안녕? 나는 촉촉한 도넛 요정이란다.”

달콤달콤 아이스크림 요정도 인사하며
“안녕? 나는 부드러운 아이스크림 요정이야.”

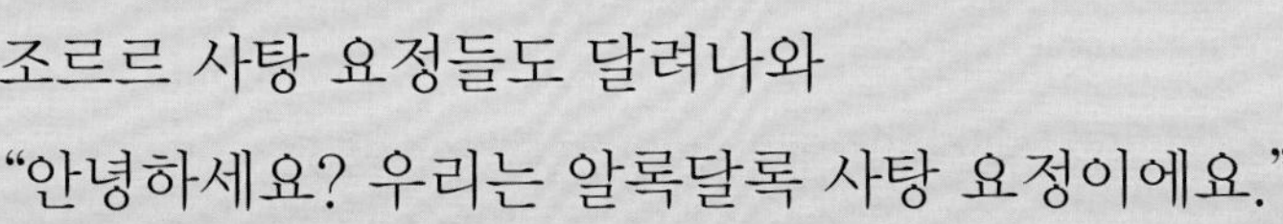

조르르 사탕 요정들도 달려나와
“안녕하세요? 우리는 알록달록 사탕 요정이에요.”

호두까기 왕자와 클라라는 요정들과
손을 잡고 춤을 추었어요.
“하하하, 호호호.”
웃음이 끊이지 않았답니다.

클래식 악기랑 놀자!

현악기는 소리를 내는 줄들을 가지고 있어요.
줄을 활로 켜거나 손으로 퉁겨 소리 내지요.

목관 악기는 나무나 금속으로 만들어졌어요.
기다란 관에 입으로 바람을 불어 소리를 내지요.

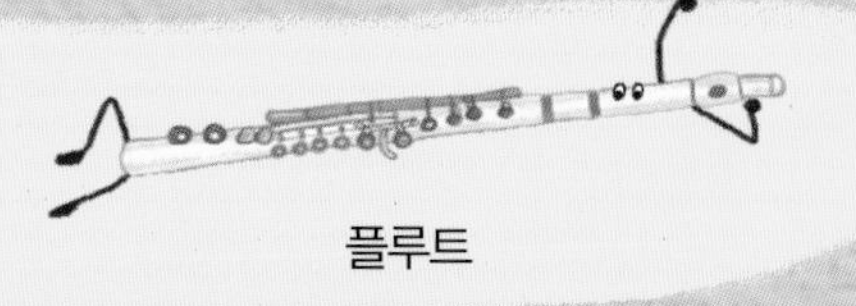

금속으로 만든 금관 악기도 입으로 바람을 불어 소리를 내요.

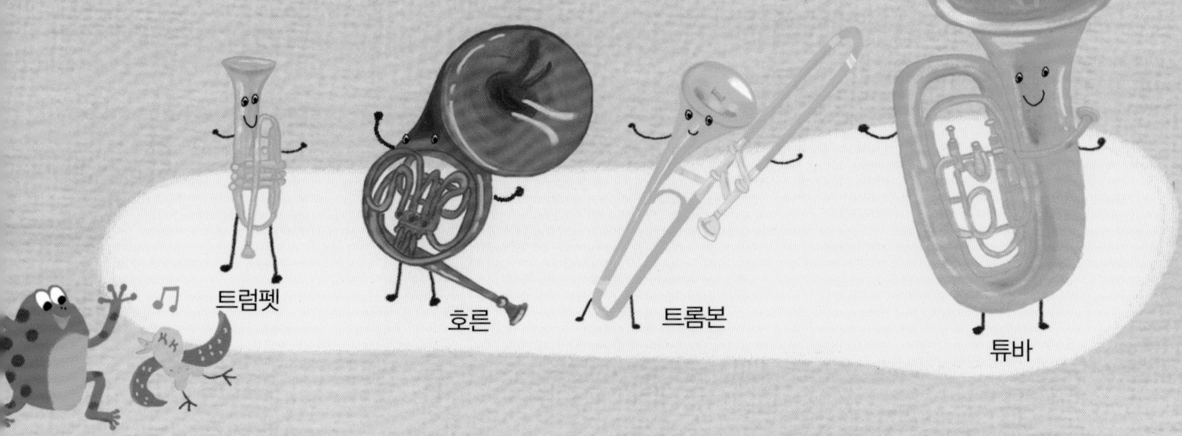

트럼펫

호른

트롬본

튜바

타악기는 손이나 채로
두드려서 소리를 내요.

작은 북

팀파니

큰 북

실로폰

건반 악기는 손으로 건반을 눌러서 소리 내지요.
건반이 많아 다양한 소리를 낼 수 있답니다.

작은 별

모차르트

“반짝반짝 작은 별 아름답게 비치네.”
이 노래는 무슨 곡일까요?
바로 우리에게 잘 알려진 동요 〈작은 별〉이랍니다.
〈작은 별〉은 모차르트가 만든 클래식 음악이에요.
리듬이 쉽고 밝아서 어린이들을 위한 곡으로
많이 불려지고 있지요.

셈퍼 피델리스

수자

둥둥! 쿵쿵! 틱틱! 치치!
모두 북에서 나는 소리예요.
북은 손이나 북채로 두드려서 소리를 내지요.
북 모양이나 소리에 따라 종류가
너무 많아서 셀 수 없을 정도랍니다.

신나는 행진곡을 많이 만든 수자는
'행진곡의 왕' 이라고 불려요.
둥둥 둥둥둥, 북소리에 맞춰
씩씩하게 걸어 볼까요?

둥둥둥! 우렁찬 소리를
뽐내는 이건 '큰 북'이야.
북 중에서 덩치가
제일 크단다.

치치치! 이건 '작은 북'이야.
꼭 뱀이 소리 내는 것
같지 않니?
동동동! 이건 '봉고'야.
손으로 어떻게 치느냐에
따라 소리가 달라지지.
통통통! 이건 '팀파니'야.
북채의 크기에 따라
다른 소리가 난단다.

화석

생상스의 〈동물의 사육제〉

동당 동당 디리리리링.
실로폰 소리는 경쾌하게 떨어지는 빗방울 소리 같아요.
길이가 다른 나뭇조각을 채로 쳐서 연주한답니다.
실로폰의 긴 막대는 낮은 음을, 짧은 막대는 높은 음을 내지요.

이 곡은 실로폰으로 동물들의 뼈가 움직이는 소리를 표현했대요.
절그럭 절그럭, 동물들의 뼈가 춤추는 모습이 그려지나요?
마치 오랫동안 땅속에 묻혔던 동물들이 살아나 움직이는 것 같아요.

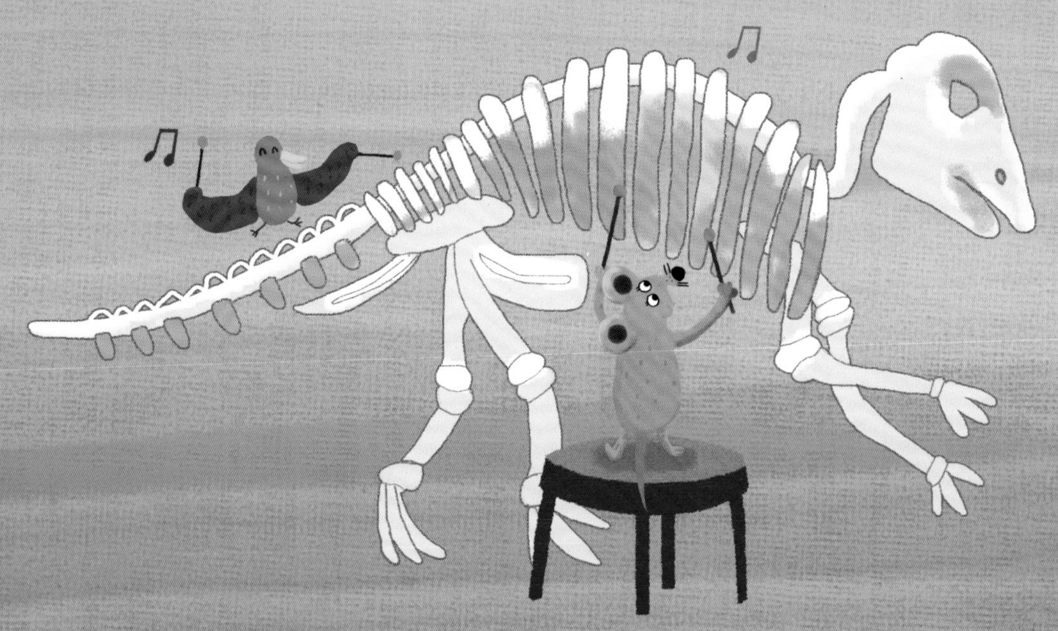

엘리제를 위하여

베토벤

하양 깜장 건반을 뽐내는 피아노는 '악기의 왕' 이래요.
88개나 되는 건반으로 다양한 소리를 낼 수 있거든요.

우리에게 잘 알려진 이 곡이 슬픈 곡인 거 알고 있나요?
베토벤은 사랑하던 여인을 떠나보내고, 슬픈 마음으로
이 곡을 만들었대요. 베토벤의 슬픈 마음을 느껴 보세요.

라 캄파넬라

파가니니

바이올린은 사람의 몸처럼 생겼어요.
목도 있고, 배도 있고 그리고 소리까지 낼 수 있지요.
활로 바이올린의 현들을 밀었다 당겼다 하면
누구보다 아름다운 소리가 난답니다.
때로는 손가락으로 현들을 퉁기며 소리 내기도 해요.

파가니니는 바이올린을 무척 사랑한 작곡가예요.
그는 바이올린으로 이 세상의 모든 소리를 낼 수 있었어요.
특히 이 곡으로 바이올린의 매력을 사람들에게 알리고 싶어 했지요.
'작은 종' 이라는 뜻의 〈라 캄파넬라〉를 들어 보세요.
작은 종이 댕댕하고 울리는 것 같지 않나요?

왕벌의 비행

림스키코르사코프

새로 핀 꽃가지에
벌이 붕붕붕.

자잘자잘 꽃잎마다
벌이 윙윙윙.

꽃잎마다 찾아다니며
바삐바삐 꿀을 모으네.

붕붕붕 윙윙윙
날갯짓하는 꿀벌들.

코끼리

생상스의 〈동물의 사육제〉

코끼리야, 코끼리야
뭐 하니?
긴 코로 쏘옥!
사과 먹는다, 냠냠!

코끼리야, 코끼리야
뭐 하니?
긴 코로 쭈욱!
목욕한다, 쏴아아!

코끼리야, 코끼리야
뭐 하니?
긴 코로 흔들!
춤춘다, 빙그르르!

개선 행진곡

베르디의 〈아이다〉

크기가 제일 큰 '트롬본'이야.
크기만큼이나 웅장한
소리를 내지.

금속으로 만든 금관 악기를 숨기는 것은 참 어려워요. 반짝반짝 빛이 나고, 크기도 크고, 무엇보다 소리가 엄청 크거든요. 그중 제일 유명한 트럼펫이 소리도 제일 크답니다.

꼭 달팽이처럼 생긴
'호른'은 부드럽고
따뜻한 소리를 내.

'튜바'는 금관 악기 중에
가장 낮은음을 낸대.

〈아이다〉는 이집트 왕의 부탁으로 만들어진 오페라예요. 이 오페라는 이집트의 장군과 적국인 에티오피아 공주의 슬픈 사랑 이야기지요. 이집트 장군이 전쟁에서 이기고 돌아왔을 때, 사람들이 축하하며 맞이하는 곡이 바로 〈개선 행진곡〉이랍니다.

피터와 늑대

프로코피예프

어느 나른한 오후, 피터는 짹짹짹 새소리를 들으며 나무 그늘에 앉아 쉬고 있었어요.

바로 그때, 야옹야옹 고양이가 새를 잡으려고 살금살금 다가왔어요.

"앗! 위험해!"
피터의 소리에 새는 힘차게 날갯짓하며 도망갔어요.

그 바람에 연못에 있던 오리도 꽥꽥꽥 깜짝 놀랐어요.
새를 놓친 고양이는 아쉬워했답니다.

이 곡에서 '클라리넷'은 고양이야.
고양이가 살금살금 기어가다,
훌쩍 점프하고, 쌩쌩 달리는
모습을 상상해 봐.
굴뚝 모양처럼 생긴 '바순'은
할아버지의 목소리처럼
부드러워! 목관 악기들 중 가장
낮은음을 낼 수 있지.
클라리넷보다 조금 작은
'오보에'는 오리가 걷는
모습을 잘 표현했어.

뻐꾹 왈츠

요나슨

뻐꾸기야, 잘 잤니?
물으면
나무 뒤에서 뻐꾹 뻐꾹.

뻐꾸기야, 밥 먹니?
물으면
풀밭 위에서 뻐꾹 뻐꾹.

뻐꾸기야, 노래하니?
물으면
푸른 하늘에서 뻐꾹 뻐꾹.

뻐꾸기는 말이란 게
'뻐꾹' 뿐이야.

여자의 마음

베르디의 〈리골레토〉

사람의 몸에도 감동적인 소리를 내는 악기가 있대요.
그 악기는 과연 무엇일까요?
숨소리? 방귀 소리? 그건 바로 '목소리' 랍니다.

이 곡은 변하기 쉬운 여자의 마음을 노래했어요.
듣고 있으면 절로 흥이 나는 경쾌한 곡이라
지금도 많은 사람들에게 사랑 받고 있지요.

봄의 소리 왈츠

요한 슈트라우스 2세

우와! 바이올린, 플루트, 트럼펫, 피아노…….
악기들이 모두 모여 연주를 해요. 바로 '오케스트라' 예요.
악기들은 저마다 자신의 소리를 뽐내는 듯 보여요.
하지만 알고 보면 모두 조화롭게
아름다운 소리를 들려주고 있는 거랍니다.

어느 파티에 초대 받은 요한 슈트라우스 2세는 흥겨운 분위기를 더욱 돋우기 위해 그 자리에서 바로 이 곡을 만들었다고 해요. 화창한 봄날이 펼쳐지는 듯 화사하고 경쾌한 곡이에요.

부모님께

클래식으로 감성과 두뇌를 쑥쑥!

김재미(건국대 음악교육학과 교수)

클래식 음악은 서양의 고전 음악을 말해요. 같은 멜로디가 계속 반복되므로 아이의 귀에 쏙 들어오는 편안한 음악이 많지요. 또한 바람 소리, 물소리, 새소리 등과 비슷한 자연 악기들로 연주하므로 아이의 감성을 풍부하게 해 주고 긍정적인 생각을 갖게 합니다.

클래식 음악은 두뇌 발달에 도움을 줍니다. 모차르트의 음악은 선율이 단순하지만 기발하여 창의력을 높여줍니다. 치밀하고, 계산적인 바흐의 음악은 사고력과 논리력을 발달시키지요. 실제로 바흐의 음악을 좋아하는 사람들 중에는 수학자나 건축가, 컴퓨터 프로그래머들이 많아요. 또한 차이콥스키의 음악은 기본적인 줄거리에 따라 악기, 박자, 선율 등이 달라져 아이들이 무한한 상상의 나래를 펼칠 수 있게 도와줍니다.

클래식 음악은 정서적 안정감을 갖게 해 줍니다. 클래식의 부드럽고 감미로운 선율이 불안감이나 긴장감을 해소시켜 주기 때문이지요. 아이가 지치고 힘들어서 투정을 부릴 때 베토벤의 〈엘리제를 위하여〉나 슈베르트의 〈송어〉같은 클래식 음악을 들려주세요. 아이에게 편안한 마음과 안정감을 주고 새로운 에너지를 충전해 줄 거예요.

클래식 음악은 신체를 발달시켜 줍니다. 브람스의 〈헝가리 춤곡〉이나 수자의 경쾌한 〈셈퍼 피델리스〉에 맞춰 춤을 추다 보면 자연스레 신체 발달도 이루어지지요. 아이와 함께 클래식 음악을 일상생활 속에서 느껴 보세요. 자라나는 아이의 감성과 두뇌 그리고 신체 발달에 가장 좋은 영향을 준답니다.

MGM'S

TOM and JERRY'S PARTY

TOLD BY STEFFI FLETCHER

PICTURES BY M-G-M CARTOONS

ADAPTED BY

HARVEY EISENBERG AND SAMUEL ARMSTRONG

GOLDEN PRESS
Western Publishing Company, Inc.
Racine, Wisconsin

IT WAS Cook's night out. She buttoned on her coat and put on her good black hat. She threw one last look around the kitchen.

Everything was spic and span. Everything was in its place—she thought!

Cook hadn't noticed that the icebox door was open. But Tom Cat had.

"This is the night for a party!" he chuckled.

As soon as Cook had left, he brought out cupcakes and cream from the icebox.

When the food was ready, Tom scrambled up to a pantry shelf. He brought down streamers left over from a New Year's Eve party. Humming gaily, Tom decorated the kitchen.

"Now to hand out invitations!" he said, when he had finished.

Quickly Tom Cat ran out into the dark night and down to the house of the Fiddler Cat.

"Fiddler Cat, Fiddler Cat," he called. "I'm having a party. Come and bring your fiddle."

From the house of the Fiddler Cat Tom ran on to the house of Yellow Melisande. From the house of Melisande he ran on to the houses of all his friends.

By the time Tom Cat turned back home, six happy cats were trotting along behind him.

Soon the party was in full swing. The Fiddler Cat played his fiddle. Yellow Melisande stood beside him and sang.

"A cat's life is the life for me-e-e," she sang. "Meow, meow, it's wild and free-e-e."

The other cats danced to the music and cast hungry looks at the cupcakes.

Somebody else was watching the cupcakes, too. Jerry and Tuffy stood at the door of their mousehole.

"Look at all that food, Tuffy," Jerry said hungrily. "Let's go get some of it!"

As softly as could be they skittered up onto the table, and pounced on the cupcakes.

"Hey!" Tom Cat cried. "Thieves! Thieves! Stop them! Stop them!"

Just then they heard heavy steps coming toward the kitchen.

"It's Cook!" Tom Cat whispered. "She's back early!"

Jerry leaped off the table. He ran to Tom and pulled at his paw.

"In there!" he urged, pointing to his mousehole. "Hide the cake in there!"

The cats whisked the cupcakes and cream off the table. Pushing and pulling, Jerry and Tuffy squeezed them through the mousehole door.

The footsteps came nearer and nearer. Tom flew around the kitchen. "The bunting!" he cried. "Take down the bunting!"

Cook started to open the door. The Fiddler Cat dove into the waste-basket.

Yellow Melisande leaped into the washing-machine.

A third cat squeezed herself behind the door.

And two little kittens hid trembling in the market-basket.

When Cook came in, there was only Tom, lying sleepily under the kitchen table.

"Land sakes!" said Cook. "I thought I heard a noise! Must have been my imagination!"

And with a shake of her head, she left again.

"Coast's clear!" whistled Jerry.

The cats came creeping out of their hiding places.

"Ahem!" said Tom to Jerry. "I suppose now you intend to keep all those cupcakes?"

Jerry threw out his chest and looked noble. "Certainly not!" he answered. "Who am I to spoil a party?"

Behind his paw he whispered to Tuffy, "We couldn't have eaten all those cakes alone anyway."

So the party started again, gayer than ever. The Fiddler Cat played, Melisande sang. And in the middle of the floor danced Jerry and Tuffy, each with a big crumb of cake in his paw.

Dear Parents:

For over forty years, children all over the world have grown with Golden Books.

Through hundreds of Golden Book titles, youngsters have discovered both the fun and excitement of reading.

Take advantage of the attached coupon today, to give your children more Golden years.

GOLDEN BOOKS®

Note: This coupon not redeemable at McDonald's® restaurants. It may be redeemed at participating retail outlets.

CUT ON DOTTED LINE

STORE COUPON

15¢

"FOR MORE GOLDEN FUN" **SAVE 15¢**

OFF THE PURCHASE PRICE OF

ANY TWO
LITTLE GOLDEN BOOKS
OR

ANY ONE
GOLDEN® BOOK WITH A SUGGESTED RETAIL PRICE OF $1.50 OR MORE

Note: This coupon not redeemable at McDonald's® restaurants. It may be redeemed at participating retail outlets.

15¢

33500 101358

Look for these and other GOLDEN BOOKS® at your store. . .

"FOR MORE GOLDEN FUN"

SAVE 15¢

CUT ON DOTTED LINE

STORE COUPON

15¢   15¢

15¢ OFF THE PURCHASE PRICE OF ANY TWO LITTLE GOLDEN BOOKS® OR ANY ONE GOLDEN BOOK® WITH A SUGGESTED RETAIL PRICE OF $1.50 OR MORE

To the Dealer:

For each coupon you accept for any two Little Golden Books® or any one Golden® Book with a suggested retail price of $1.50 or more, we will pay you 15¢ plus 7¢ handling charges provided you and your customer have complied with the terms of this offer. Any unauthorized application could constitute fraud. Invoices showing your purchases of sufficient stock to cover all coupons redeemed must be shown upon request. Void where prohibited, taxed or restricted. Your customers must pay any sales tax. Cash value 1/20th of one cent. Offer good only in U.S.A. Redeem by mailing to Western Publishing Company, Inc. P.O. Box 1639, Clinton, Iowa 52734.

15¢   15¢

33500 101358